劉福春・李怡 主編

民國文學珍稀文獻集成

第一輯
新詩舊集影印叢編　第41冊

【宗白華卷】

流 雲　　　　流雲小詩

上海：亞東圖書館 1923 年 12 月版　　上海：正風出版社 1947 年 11 月版

宗白華 著

【張篷舟卷】

波 瀾　　消失了的情緒

自印 1923 年版　　上海文華美術圖書印刷公司（1933 年）版

張篷舟 著

花木蘭文化出版社

國家圖書館出版品預行編目資料

流雲／流雲小詩／宗白華 著 波瀾／消失了的情緒／張篷舟 著 ——
初版 —— 新北市：花木蘭文化出版社，2016
〔民 105〕
82 面／76 面／40 面／38 面；19×26 公分
（民國文學珍稀文獻集成・第一輯・新詩舊集影印叢編 第 41 冊）
ISBN：978-986-404-622-5（套書精裝）
831.8   105002931

民國文學珍稀文獻集成・第一輯・新詩舊集影印叢編（1-50 冊）
第 41 冊

流雲／流雲小詩
波瀾／消失了的情緒

著　　者	宗白華／張篷舟	
主　　編	劉福春、李怡	
企　　劃	首都師範大學中國詩歌研究中心	
	北京師範大學民國歷史文化與文學研究中心	
	（臺灣）政治大學民國歷史文化與文學研究中心	
總 編 輯	杜潔祥	
副總編輯	楊嘉樂	
編　　輯	許郁翎	
出　　版	花木蘭文化出版社	
社　　長	高小娟	
聯絡地址	235 新北市中和區中安街七二號十三樓	
	電話：02-2923-1455 ／傳眞：02-2923-1452	
網　　址	http://www.huamulan.tw 信箱 hml810518@gmail.com	
印　　刷	普羅文化出版廣告事業	
初　　版	2016 年 4 月	
定　　價	第一輯 1-50 冊（精裝）新台幣 120,000 元	

流雲

宗白華　著

宗白華（1897-1986）原名宗之櫆，生於安徽安慶。

亞東圖書館（上海）一九二三年十二月初版。原書三十二開。

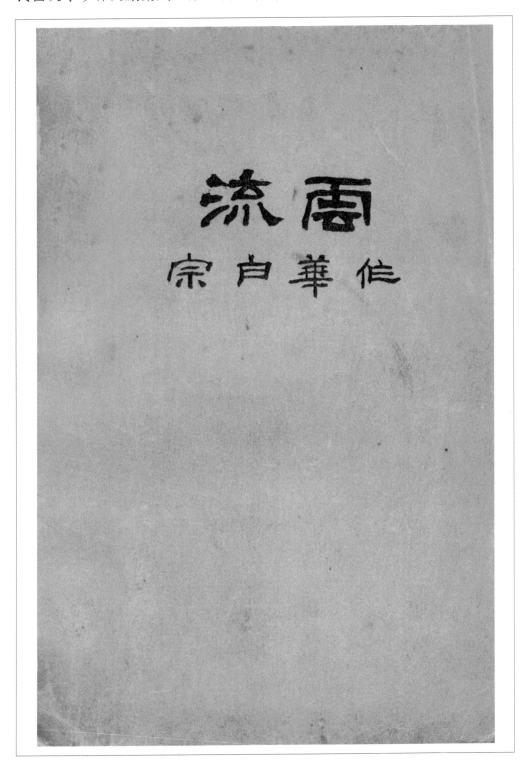

當月下的水蓮還在輕睡的時候，東方的晨星已漸漸的醒了。 我夢魂裏的心靈，披了件詞藻的衣裳，踏着音樂的脚步，向我告辭去了。 我低着聲說：“不嫌早麽?人們還在睡着呢!” 他說：“黑夜的影將去了，人心裏的黑夜也將去了! 我

願乘着晨光,呼集清醒的靈魂,
起來頌揚初生的太陽。"

2

理性的光
情緒的海
白雲流空，便是思想片片。
是自然偉大麼？
是人生偉大呢？

8

紅日初生時
我心中開了信仰之花：
我信仰太陽
如我的父！
我信仰月亮
如我的母！
我信仰衆星
如我的兄弟！

4

我信仰萬花
如我的姊妹！
我信仰流雲
如我的友！
我信仰音樂
如我的愛！
我信仰
一切都是神！

5

我信仰
我也是神!

夜

一時間
覺得我的微軀
是一顆小星,
瑩然萬星裏
隨着星流。
一會兒

7

又覺着我的心
是一張明鏡。
宇宙的萬星
在裏面燦着。

8

我築室在海濱上：
紫霞作簾幕，
紅日為孤燈。
白雲與我語，
碧月照我行。
黃昏倚坐青石下，
藍空捲來海潮音！

9.

我們並立天河下。
人間已落沉睡裏。
天上的雙星
映在我們的兩心裏。
我們握着手,看着天,不語。
一個神祕的微顫
經過我們兩心深處。

10

心中一段最後的幽涼
幾時纔能解脫呢？
銀河的月，照我樓上。
琴聲遠遠吹來——
月的幽涼
心的幽涼
同化入宇宙的幽涼了！

11

偉大的夜
我起來頌揚你：
你消滅了世間的一切界
限，

你點灼了人間無數心燈！

12

月夜海上

月天如鏡
照着海平如鏡。
四面天海的鏡光
映着寸心如鏡。

13

月的悲吟

好友太陽謝着人間去了，
他雪峯上最後的握別
呼醒了我深谷中的沉夢。
我睡眼惺忪，悄悄地扶着
山巖而起。
臉霞紅卻枕，綠鬢堆雲，

14

我從覆蓋中,偷偷地看見那遠遠的人間了。

啊,可愛的人間,我相思久了,如今又得相見!

....

噫,可愛的人間,你怎麼這樣冷清清的,不表示一點聲音?

你歌詠我的詩人,何處去

15

了?
　　你頌揚我的絃音,怎不聞
了?

　　沉寂的林中,
　　不看見攜手的雙影。
　　明窗的樓上,
　　不聽見負手的沉吟。

16

都城寥廓，空餘石壁森森
了！

我寸心驚跳，悽然欲淚。
可愛的人間，他竟忘了我
麼？——

牆上的藤花，心憐我了，
她低低垂着頭，臨風欲墮。
湖上的碧水，她同情深了，

17

　　淚光瑩瑩，向我亮着。
　　啊，池邊的水蓮，也忍不住
了，
　　她合起了雙眸，含淚睡去。
　　青山額上，罩滿愁雲，默默
對我無語、
　　泉水嗚咽着，向着東方流
去。

18

憶,可愛的人間,還是不見
一個人影!
我淚眼紅了,
頭涔涔欲墜,
且覆臥在曉雲中罷!

19

夜

黑夜深。
萬籟息。
壁上的鐘聲俱寂。
寂靜！寂靜！
微眇的寸心
流入時間的無盡！

20

晨

夜將去。
曉色來。
清冷的藍光
進披几席。
賸殘的夜影
遁居牆陰。

21

現實展開了．
空間呈現了．
眼兒大明．
心兒大喧．

22

園中

“啊，醒醒罷，
綠陰如夢，將你籠罩住了！”
她倚坐在碧蘿邊，
藤花吹落襟上，
不曾微微覺着。
小鳥悄悄地琢到裙邊了，

23

她輕輕抬起雙眼，又復沉
沉低下。

啊，她幽思深了。

濃重的綠陰，將她籠在濃
夢中了。

24

她靜悄悄的眼波
悄悄地
落在我的身上。
我靜悄悄的心
起了一紋
悄悄的微顫.

25

她們麼？
是我情天的流星，
倏然起滅於蔚藍空裏。
惟有你，
是我心中的明月，
清光長伴我碧夜的流雲。

26

我走到園中
放一朵憔悴的花
在她的手上。
我說："這是我的心,你取
了罷!"
她戰慄的手,握着花,
清淚滴滿花瓣
如同朝露。

27

我低着聲說：
"你看我的心，她有了生意了！"

28

我的心
是深谷中的泉：
她只映着了
藍天的星光。
她只流出了
月華的殘照。
有時陽春信至，
他也幽咽着

29

相思的歌調.

我生命的流
是海洋上的雲波
永遠地照見了海天的蔚
藍無盡。
我生命的流
是小河上的微波
永遠地映着了兩岸的青
山碧樹。

31

我生命的流
是琴絃上的音波
永遠地繞住了松間的秋
星朗月。
我生命的流
是她心泉上的情波
永遠地縈住了她胸中的
晝夜思潮。

32

生命的樹上
凋了一枝花
謝落在我的懷裏，
我輕輕的壓在心上。
她接觸了我心中的音樂
化成小詩一朵。

33

彩虹一弓
艷絕天地。
我欲造一句之詩
表現人生。

54

宇宙的靈魂，
我知道你了！
昨夜藍空的星夢，
今朝眼底的萬花。

35

水上的微波
渡過了隔岸的歌聲。
歌聲蕩漾
蕩着我的寸心
化成音樂的情海。
情海的音波
充滿了世界。
世界搖搖

36

搖蕩在我的心裏。

37

題歌德像

你的一雙大眼
籠罩了全世界。
但是也隱隱的透出了
你嬰孩的心。

33

虛閣懸琴
天風吹過時
奏出超世的音樂。
藍空雲散
春禽飛去後
長留嘹喨的歌聲。
雪萊！
我聽着你的詩了！

39

戀愛是無聲的音樂麼?
烏在花間睡了,
人在春間醉了,
戀愛是無聲的音樂麼!

40

她是蹁躚的蝴蝶
夢遊世界的詩園。
詩園中紅花綠花
襯着她斑衣五色。
詩園中清泉碧水
映着她瘦影傳伶。
小亭翼然裏流出了歌聲
歌着她臨風醉舞...

41

一溪清影裏留住了殘照
照着她惆悵自憐。
月華溶溶
詩園入夢
她在小橋邊,
綠陰之下,
抱住了一朵白花
同夢詩園之夢。

42

楊柳與水蓮

曉風裏的楊柳對殘月下
的水蓮說：

"太陽起來了,你睡醒了麽?
你花苞似的眼裏爲什麽含了
清淚?"

"他是我昨夜恐懼悲哀的

43

淚,

也是我今朝歡欣感涕的
淚。"

"你恐懼着什麼?你悲些什
麼?"

"啊,夜的黑暗呀,污泥裏的
冷濕呀!"

"你不曾看見夜的美麼?"

44

"我含淚的眼和悲哀的心，一屆黃昏，就深藏到綠葉的沉夢裏。"

"夜的幕上有繁星織就了的花園，園中有月神在徘徊着，有牛童織女在戀愛着，有夜鶯啼着，有花香繞着，你何不從那綠葉的簾裏，來到碧夜的幕中！"

45

水蓮說：“啊,是呀!”

太陽落後,明月起時,可憐
的水蓮,抱着她悲哀的心,含淚
的眼,亭亭的立在黑暗的深處.

46

世界的花
我怎忍採擷你？
世界的花
我又忍不住要採得你！
想想我怎能捨得你，
我不如一點靈魂化作你！

47

天上的繁星
人間的兒童。
慈母的愛
自然的愛
俱是一般的深宏無盡呀！

48

心中的宇宙
明月鏡中的山河影.

43

月落時
我的心花謝了，
一瓣一瓣的清香
化成牠夢中的蝴蝶。

57

我低了頭
聽着琴海的音波。
無限的世界
無限的人生
從我心頭流過了
我只是悠然聽着。
忽然一曲清歌
驚墮我手中的花，

51

我的心杳然去了
淚下如雨.

52

窗外的落日
從半天的濃雨裏
映出長虹七色。
絕代的天才
從人生的愁雲中
織成萬古詩謌。

53

詩人的墳墓上
野草叢生着。
一個少女走過了
採得紅花一朶。
啊，不朽的詩人！

54

一切羣生中
我頌揚投火的飛蛾！
唯有他,得着了光明中
偉大的死。

55

可愛的地球
可愛的人生
感謝你給我許多深厚的
快樂！
我將怎樣報答你？
我一無所有——
我只有一顆心，
心裏深藏着一個世界！

58.

薔薇的路上
走來丐化一個。
口裏唱着山謌
手中握着花朶。
明朝不得食
便死在薔薇花下。

57

我每不忍夜深歸來，
　只爲是怕看見那街頭的
幢幢黑影。
　黑影裏蘊藏着無限的命
運！
　黑影裏蘊藏着無限的悲
哀！
　今夜她們月影滿身，

58

我從牆陰裏
看見她們灰白的面色了！
秋風起
她們滿身戰慄，如同秋葉。
秋葉飛去了，
她們還立在秋風裏戰慄！
啊，黑影裏的命運，
　黑影裏的悲哀，

59

我冷月的心，也和着你們
在戰慄了！

60

冬

瑩白的雪
深黃的葉
蓋住宇宙的心。
但是,我的朋友,
我知道你心中的熱烈
在醞釀着明春之花。

61

你想要了解"光"麼?

你可曾同那疎林透射的
斜陽共舞?

你可曾同那黃昏初現的
冷月齊顫?

你可曾同那藍天閃閃的
星光合奏?

    ✱   ✱   ✱

62

你想要了解"春"麼?

你的心情可有那蝴蝶翅
的翩翩情致?

你的歌曲可有那黃鶯兒
的干囀不窮?

你的呼吸可有那玫瑰粉‧
的一縷溫馨?

63

別後

我們臨別時
她淚盈盈的眼睛
朦朧地映在我的雙瞳裏。
我們握別後
她溫馨馨的指痕
深深的卬在我的手心裏。

64

你現在若啓開了我的心
就看見她的纖影婷婷的。

65

海上

星河流碧夜，
海水激藍空。
遠峯載明月，
彷彿君之容。
想君正念我，
清夜來夢中。

.66

那含羞伏案時回眸的一
粲，
　　永遠地繫住了我橫流四
海的放心。

67

東海濱

今夜朗月的流光
映在我的心花上，
我悄立海邊
仰聽星天的清響。
一朵孤花在我身旁睡了，
我挹着她夢裏的芬芳。

68

啊,夢呀!夢呀!
明月的夢呀!
她在尋夢裏的情人,
我在念月下的故鄉!

69

晨興

太陽的光
洗着我早起的靈魂。
天邊的月
猶似我昨夜的殘夢。

70

我立在光底泉上。
眼看那灩灩的波，流到人
間。

我隨手擲下紅花一朵
人間添了一分春色。

71

中華民國十二年十二月出版

流　雲　（全）

每冊定價洋二角五分

外埠酌加郵費

著　者　　宗　白　華

發行者　　亞東圖書館
　　　　上海五馬路棋盤街西首

印刷者　　亞東圖書館
　　　　上海五馬路棋盤街西首

分售處　　各省各大書店

胡適之先生著 嘗試集

曾經增訂，分爲三編，附去國集。有四版自序。

定價四角五分。

康白情先生著 草兒

有自序，有兪平伯先生序。

分三部：(1)從草兒在前一詩起，至九月廿七日赴美止所作新詩；(2)附錄新詩詞數十首；(3)附錄新詩短論一文。

定價八角。

兪平伯先生著 冬夜

有自序，有朱自淸先生序。兪先生三年來的詩，大部分彙在這個集子裏。全集分四輯。

定價六角。

上海亞東圖書館發行

先生研究新詩嗎？

一九二一年 新詩年選

北社編　　定價五角

（一）選擇精當，歷時年餘，選定四十二家詩八十二首，僅占備選全詩六分之一・（二）名家批評，適用科學方法，根據近代學理，一洗從前批評家酸腐之氣。（三）最還輯的編次法，與從前籠統分類之舊弊完全絕緣。凡欲認識何者為好詩，欲知詩壇過去之成績，欲考察各地社會感情，欲徵時代精神，欲明民間之疾苦，不可不看。

蕙 的 風

汪靜之著　　定價五角

共分四輯，近一百首詩。有胡適之先生序，朱自清先生序，劉延陵先生序。

上海亞東圖書館發行

流雲小詩

宗白華 著

亞東圖書館（上海）一九二三年十二月初版，書名為《流雲》；
一九二八年九月再版，書名改為《流雲小詩》。正風出版社（上
海）一九四七年年十一月重版。原書三十二開。

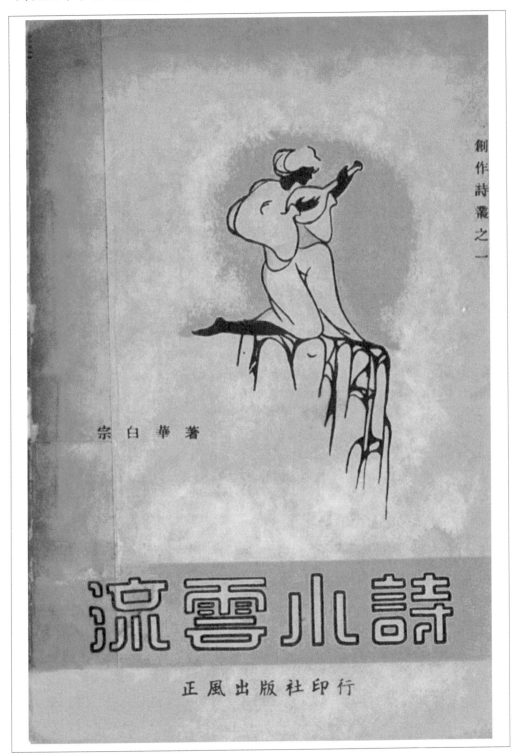

創作詩叢之一

宗白華 著

流雲小詩

正風出版社印行

創作詩叢之一

流雲小詩

宗白華 著

正風出版社印行

序

當月下的水蓮還在輕睡的時候，東方的晨星已漸漸的醒了。 我夢魂裏的心靈，披了件詞藻的衣裳，踏着音樂的腳步，向我告辭去了。 我低聲說道："不嫌早麼？人們還在睡着呢！" 他說："黑夜的影將去了；人心裏的黑夜也將去了！ 我願乘着晨光，呼集清醒的靈魂，起來頌揚初生的太陽。"

人 生

理性的光
情緒的海
白雲流空,便是思想片片。
是自然偉大麼?
是人生偉大呢?

信 仰

紅日初生時
我心中開了信仰之花
我信仰太陽
如我的父！
我信仰月亮
如我的母！
我信仰眾星
如我的兄弟！
我信仰萬花
如我的姊妹！

我信仰流雲
如我的友！
我信仰音樂
如我的愛！
我信仰
一切都是神！
我信仰
我也是神！

5

夜

一時間
覺得我的微軀
是一顆小星，
瑩然萬星裏
隨著星流。
一會兒
又覺著我的心
是一張明鏡，
宇宙的萬星
在裏面燦著。

6

築室

我築室在海濱上
紫霞作簾幕，
紅日爲孤燈。
白雲與我語，
碧月照我行。
黃昏倚坐青石下，
藍空捲來海潮音！

7

解　脫

心中一段最後的幽涼
幾時纔能解脫呢？
銀河的月，照我樓上。
笛聲遠遠吹來──
月的幽涼
心的幽涼
同化入宇宙的幽涼了

8

我 們

我們並立天河下。
人間已落沉睡裏。
天上的雙星
映在我們的兩心裏。
我們握着手,看着天,不語。
一個神秘的微顫
經過我們兩心深處

9

她

她 是 蹁 躚 的 蝴 蝶
夢 遊 世 界 的 詩 園。
詩 園 中 紅 花 綠 花
襯 著 她 斑 衣 五 色。
詩 園 中 清 泉 碧 水
映 著 她 瘦 影 傳 伶。
小 亭 翼 然 裏 流 出 了 藝 焰
歌 著 她 臨 風 醉 舞。
一 溪 清 影 裏 留 住 了 黑 影
照 著 她 惆 悵 自 憐。

10

月華溶溶
詩園入夢
她在小橋邊，
綠陰之下，
抱住了一朵白花
同夢詩園之夢。

11

月的悲吟

好友太陽謝着人間去了,
他雪峯上最後的握別
呼醒了我深谷中的沉夢。
我睡眼惺忪,悄悄地扶着
山巖而起。
臉霞紅卻枕,綠鬢堆雲,
我從覆鬢中,偷偷地看見
那遠遠的人間了。
啊,可愛的人間,我相思久
了,如今又得相見!——

12

噫,可愛的人間,你怎麼這
樣冷清清的,不表示一點聲音?
你歌詠我的詩人,何處去
了?
你頌揚我的絃音,怎不聞
了?

沉寂的林中
不看見攜手的雙影。
明窗的樓上
不聽見負手的沉吟。

13

都城寥廓,空餘石壁森森
了!

我寸心驚跳,悽然欲淚。
可愛的人間,他竟忘了我
麼?——

牆上的藤花,心憐我了,
她低低垂着頭,臨風欲墮。
湖上的碧水,她同情深了,
淚光瑩瑩,向我亮着。
啊,池邊的水蓮,也忍不住

14

了，

合起了雙眸，含淚睡去。

青山額上，罩滿愁雲，默默

對我無語。

泉水嗚咽着，向東方流去。

噫，可愛的人間，還是不見

一個人影！

我淚眼紅了，

頭涔涔欲墜，

且覆臥在曉雲中罷！

15

題歌德像

你的一雙大眼，
籠罩了全世界。
但也隱隱的透出了
你嬰孩的心

16

雪萊的詩

虛閣懸琴
天風吹過時
流出超世的音樂。
藍空雲散
春禽飛去後
長留嘹嚦的歌聲。
雪萊，
我聽着你的詩了！

17

夜

黑夜深
萬籟息
遠寺的鐘聲俱寂。
寂靜—— 寂靜——
微眇的寸心
流入時間的無盡!

18

晨

夜將去。

曉色來。

清冷的藍光

進披几席。

賸殘的夜影

遁居牆陰。

現實展開了。

空間呈現了。

森羅的世界

又籠罩了脆弱的孤心!

19

小 詩

生命的樹上
凋了一枝花
謝落在我的懷裏,
我輕輕的壓在心上。
她接觸了我心中的音樂
化成小詩一朵。

20

我的心

我 的 心
是 深 谷 中 的 泉：
他 只 映 着 了
藍 天 的 星 光。
他 只 流 出 了
月 華 的 殘 照。
有 時 陽 春 信 至，
他 也 嗚 咽 着
相 思 的 歌 謠

21

生命的流

我生命的流
是海洋上的雲波
永遠地照見了海天的蔚
藍無盡。
我生命的流
是小河上的微波
永遠地映着了兩岸的青
山碧樹。

22

我生命的流

是琴絲上的音波

永遠地繞住了松間的秋

星朔月。

我生命的流

是她心泉上的情波

永遠地縈住了她胸中的

晝夜思潮。

23

園 中

我走到園中
放一朵憔悴的花
在她的手上。
我說："這是我的心，你取
了罷。"

她戰慄的手，握着花，
清淚滴滿花上，
如同朝露。
我低着聲說：
"你看我的心，他有了生意了！"

24

眼　波

她靜悄悄的眼波
悄悄的
落在我的身上。
我靜悄悄的心
起了一紋
悄悄的微顫。

25

有　贈

她們麼?
是我情天的流星
倏然起滅於蔚藍空裏。
准有你,
是我心中的明月,
清光長伴我碧夜的流雲。

26

戀　愛.

戀愛是無聲的音樂麼?
鳥在花間睡了,
人在春間醉了,
戀愛是無聲的音樂麼!

27

詩

啊,詩從何處尋?
在細雨下,點碎落花聲!
在微風裏,飄來流水音!
在藍空天末,搖搖欲墜的
孤星!

28

問

花兒,你了解我的心麼?

她低低垂着頭,脈脈無語。

流水,你識得我的心麼?

他回眸了幾眼,潺潺而去。

石邊倚了一支琴,

我隨手撫着他,

一聲聲告訴了我心中的幽緒。

29

綠　陰

啊,醒醒罷,
綠陰如夢,將你籠罩住了!"
她倚坐在碧蘿邊,
藤花吹落襟上,
不曾微微覺着。
小鳥悄悄的聚到裙邊了,
她輕輕抬起雙眼,
又復沉沉低下。

30

啊，她幽思深了。
濃重的綠陰
將她籠在濃夢中了。

31

世界的花

世界的花
我怎忍探擷你?
世界的花
我又忍不住要探得你!
想想我怎能捨得你,
我不如一片靈魂化作你!

32

宇宙的靈魂

宇宙的靈魂
我知道你了，
昨夜藍空的星夢，
今朝眼底的萬花。

33

詩　人

窗外的落日
在半天的濃雨裏
映出長虹七色。
絕代的天才
從人生的愁雲中
織成萬古詩歌。

34

不 朽

詩人的墳墓上
野草叢生着。
一個少女走過了，
探得紅花一朵。
啊，不朽的詩人！

35

飛 蛾

一切羣生中
我頌揚投火的飛蛾!
唯有他,
得着了光明中偉大的死!

36

慈　母

天上的繁星，
人間的兒童。
慈母的愛
自然的愛
俱是一般的深宏無盡呀！

37

斷　句

心中的宇宙
明月鏡中的山河影。

38

彩　虹

彩虹一弓
艷絕天地。
我欲造一句之詩
表現人生。

39

夜

偉大的夜
我起來頌揚你：
你消滅了世間的一切界
限，

你點灼了人間無數心燈。

40

冬

瑩白的雪
絳黃的葉
蓋住了宇宙的心。
但是，我的朋友，
我知道你心中的熱烈
在醞釀著明春之花。

41

春與光

你想要了解春麼?

你的心情可有那蝴蝶翅
的翩翻情致?

你的歌曲可有那黃鶯兒
的千囀不窮?

你的呼吸可有那玫瑰粉
的一縷溫馨?

42

你想要了解光麼?

你可曾同那疎林透射的
斜陽共舞?

你可曾同那黃昏初現的
玲月齊顫?

你可曾同那藍天閃閃的
星光合奏?

43

月夜海上

月天如鏡
照着海平如鏡。
四面天海的鏡光
映着寸心如鏡。

44

月落時

月落時
我的心花謝了，
一辦一辦的清香
化成她夢中的蝴蝶。

45

無　題

我每不忍夜深歸來
只為是怕看見那街頭的
憧憧黑影。
黑影裏蘊藏着無限的命
運!

黑影裏蘊藏着無限的悲
哀!

今夜她們月影滿身,
我從牆陰裏
看見她們灰白的面色了!

46

秋風起
她們滿身戰慄,如同秋葉。
秋葉飛去了,
她們還立在秋風裏戰慄！
啊,黑影裏的命運,
　黑影裏的悲哀,
　我冷月的心,也和着你們
在戰慄了！

47

音　波

水上的微波
渡過了隔岸的歌聲。
歌聲蕩漾
蕩着我的寸心
化成音樂的情海。
情海的音波
充滿了世界。
世界搖搖
搖蕩在我的心裏。

48

乞 丐

薔薇的路上
走來丐化一個。
口裏唱着山謌
手中握着花朵。
明朝不得食
便死在薔薇花下

49

問祖國

祖國！　祖國！
你這樣燦爛明麗的河山
怎蒙了漫天無際的黑霧？
你這樣聰慧多才的民族
怎墮入長夢不醒的迷途？
你沉霧幾時消？
你長夢幾時寤？
我在此獨立蒼茫，
你對我默然無語！

50

感　謝

可愛的地球
可愛的人生
感謝你給我許多深厚的
快樂！
我將怎樣報答你？
我一無所有——
我只有一顆心，
心裏深藏着一個世界！

51

楊柳與水蓮

曉風裏的楊柳對殘月下的水蓮說：

太陽起來了，你睡醒了麼？你花苞似的眼裏為什麼含了清淚？"

"他是我昨夜恐懼悲哀的淚，

也是我今朝歡欣感涕的淚。"

"你恐懼些什麼？你悲哀些

52

什麼？

　"啊,夜的黑暗呀,污泥裏的
冷濕呀！"

　"你不曾看見夜的美麼？"

　"我含淚的眼和悲哀的心,
一屆黃昏,就深藏到綠葉的沉
夢裏。'

　"夜的幕上有繁星織就了
的花園,園中有月神在徘徊着,
有牛童織女在戀愛着,有夜鶯

53

啼着,有花香繞着,你何不從那
綠葉的簾裏,來到碧夜的幕中!
　水蓮說:"啊,是呀!"
　太陽落後,明月起時,可憐
的水蓮,抱着她悲哀的心,含淚
的眼,亭亭的立在黑暗的深處

54

聽 琴

我低了頭
聽着琴海的音波。
無限的世界
無限的人生
從我心頭流過了,
我只是悠然聽着。
忽然一曲清歌
驚墮我手中的花,
我的心杳然去了
淚下如雨。

55

別　後

我們臨別時，
她淚瑩瑩的眼睛
朦朧地映在我的雙瞳裏。
我們握別後，
她溫馨馨的指痕
深深的印在我的手心裏。
你現在啓開了我的心
就看見她的纖影亭亭的！

56

海 上

星河流碧夜，
海水激藍空。
遠峯載明月，
彷彿君之容。
想君正念我，
清夜來夢中。

57

繫　住

那含羞伏案時回眸的一
繫，

永遠地繫住了我橫流四
海的放心。

東海濱

今夜朗月的流光
映在我的心花上。
我悄立海邊
仰聽星天的清響。
一朶孤花在我身旁睡了
我挹着她夢裏的芬芳。
啊,夢呀! 夢呀!
朗月的夢呀!
她在尋夢裏的情人,
我在念月下的故鄉!

59

晨　興

太陽的光
洗着我早起的靈魂。
天邊的月
猶似我昨夜的殘夢。

60

紅　花

我立在光的泉上。
眼看那灩灩的波,流到人
間。

我隨手擲下紅花一朵,
人間添了一分春色。

61

我 和 詩

宗白華

我的寫詩，確是一件偶然的事。記得我在同郭沫若的通信裏曾說過：「我們心中不可沒有詩意詩境，但却不必定要做詩」。這兩句話曾引起他一大篇的名論，說詩是寫出的，不是做出的。他這話我自然是同意的。我也正是因爲不願受詩的形式推敲的束縛，所以說不必定要做詩。（見三葉集）

然而我後來的寫詩却也不完全是偶然的事。同想我幼年時有一些性情的的特點，是和後來的寫詩不能說沒有關係的。

我小時候雖然好頑耍，不唸書，但對於山水風景的酷愛是發乎自然的。天空的白雲和復成橋畔的垂柳，是我孩心最親密的伴侶。我喜歡一個人坐在水邊石上看天上白雲的變幻，心裏浮着幼稚的幻想。雲的許多不同的形象動態，早晚風色中各式各樣的風格，是我孩心裏獨自把玩的對象。都市裏沒有好風景，天上的流雲，常時幻出海島沙洲，峯巒湖沼。我有一天私自就雲的各樣境界，分別漢代的雲，唐代的雲，抒情的雲，戲劇的雲等等，很想做一個「雲譜」。

風煙清寂的郊外，清凉山、掃葉樓、雨花台、莫愁湖是我同幾個小伴每星期日步行遊玩的目標。我記得當時的小文裏有「拾石雨花，尋詩掃葉」的句子。湖山的清景在我的童心裏有着莫大的勢力。一種羅曼蒂克的遙遠的情思引着我在

—— 63 ——

森林裏，落日的晚霞裏，遠寺的鐘聲裏有所追尋，一種無名的隔世的相思，鼓蕩着一股心神不安的情調；尤其是在夜裏，獨自睡在床上，頂愛聽那遠遠的簫笛聲，那時心中有一縷說不出的深切的淒涼的感覺，和說不出的幸福的感覺，結合在一起；我彷彿和那窗外的月光霧光溶化爲一，飄浮在樹杪林間，隨着簫聲笛聲孤寂而遠引——這時我的心最快樂。

　　十三四歲的時候，小小的心裏已經築起一個自己的世界；家裏人說我少年老成，其實我並沒唸過什麼書，也不愛唸書，詩是更沒有聽過讀過；祇是好幻想，有自己的奇異的夢與情感。

　　十七歲一場大病之後，我扶着弱體到青島去求學，病後的神經是特別靈敏，青島海風吹醒我心靈的成年。世界是美麗的，生命是壯闊的，海是世界和生命的象徵。這時我歡喜海，就像我以前歡喜雲。月夜的海，星夜的海，狂風怒濤的海，清晨曉霧的海，落照裏幾點遙遠的白帆掩映着一望無盡的金碧的海；有時崖邊獨坐，柔波軟語，絮絮如訴衷曲。我愛它，我懂它，就同人懂得他愛人的靈魂與玉體底每一個角落，每一個微茫的動作一樣。

　　青島的半年沒讀過一首詩，沒有寫過一首詩，然而那生活却是詩；是我生活裏最富於詩境的一段。青年的心襟時時像春天的天空，晴明愉快，沒有一點塵滓，俯瞰着波濤萬狀的大海，而自守着明爽的天眞。那年夏天我從青島囘到上海

——64——

，住在我的外祖父方老詩人家裏，每天早晨在小花園裏，聽老人高聲唱詩，聲調沉鬱蒼涼，非常動人，我偷偷一看，是一部劍南詩鈔，於是我跑到書店裏也買了一部同來，這是我生平第一次翻讀詩集，但是莫有讀多少就丟開了。那時的心情，還不宜讀放翁的詩。秋天我轉學進了上海同濟，同房間裏一位朋友，很信佛，常常盤坐在床上朗誦楞嚴經。音調高朗清遠有出世之概，我很感動。我歡喜躺在床上瞑目靜聽他歌唱的詞句，楞嚴經詞句的優美，引起我讀它的興趣。而那莊嚴偉大的佛理境界投合我心裏潛在的哲學的冥想。我對哲學的研究是從這裏開始。莊子、康德、叔本華、歌德相續地在我的心靈的天空出現，每一個都在我的精神人格上留下不可磨滅的印痕。「拿叔本華的眼睛看世界，拿歌德的精神做人」是我那時的口號。

有一天我在書店裏偶然買了一部日本版的小字的王孟詩集，回來翻閱一過，心裏有無限的喜悅。他們的詩境，正合我的情味，尤其是王摩詰的清麗淡遠，很投我那時的僻好。他的兩句詩：「行到水窮處，坐看雲起時」，是常常掛在我的口邊，尤在我獨自一人散步於同濟附近田野的時候。

唐人的絕句，像王孟韋柳等人的，境界閑和靜穆，態度天真自然，寓濃麗於冲淡之中，我頂歡喜。後來我愛寫小詩短詩，可以說是承受唐人絕句的影響，和日本的俳句毫不相干，太戈爾的影響也不大。祇是我的朋友左舜生那時常常歡

—— 65 ——

喜朗誦黃仲蘇譯的太戈爾闐丁集詩，他那聲調的蒼涼幽咽，一往情深，引起我一股宇宙的遙遠底相思的哀感。

在中學時，有兩次寒假，我到浙東萬山之中一個幽美的小城裏過年。那四圍的山色穠麗清奇，似夢如烟；初春的地氣，在佳山水裏蒸發得較早，舉目都是淺藍深黛；湖光嵐影籠罩得人自己也覺得成了一個透明體。而青春的心初次沐浴到愛的情緒，彷彿一朵白蓮在曉露裏緩緩地展開，迎着初生的太陽，無聲地戰慄地開放着，一聲驚喜的微呼，心上已抹上臙脂的顏色。

純眞的刻骨的愛和自然底深靜的美在我的生命情緒中結成一個長期的微渺的音奏，伴着月下的凝思，黃昏的遠想。

這時我歡喜讀詩，我歡喜有人聽我讀詩，夜裏山城清寂，抱膝微吟，靈犀一點，脈脈相通。我的朋友有兩句詩：「華燈一城夢，明月百年心」，可以做我這時心情的寫照。

我遊了一趟謝安的東山，山上有謝公祠、薔薇洞、洗屐池、棋亭等名勝，我寫了幾首紀遊詩，這是我第一次的寫詩，現在姑且記下，可以當作古老的化石看罷了。

遊東山寺

（一）

振衣直上東山寺，萬壑千巖靜晚鐘。
疊疊雲嵐烟樹杪，灣灣流水夕陽中。
祠前雙柏今猶碧，洞口薔薇幾度紅？

—— 66 ——

一代風流雲水渺，萬方多難弔遺踪。

　　　（二）

石泉落澗玉琮琤，人去山空萬籟清。

春雨苔痕迷展齒，秋風落葉響棋枰。

澄潭浮鯉窺新碧，老樹盤鴉噪夕晴。

坐久渾忘身世外，僧窗凍月夜深明。

　　別東山

遊屐東山久不回，依依恨別古城隈，千峯暮雨春無色，

萬樹寒風鳥獨徊，渚上歸舟攜冷月，江邊野渡遜殘梅，

回頭忽見雲封壤，黯對青巒自把杯。

舊體詩寫出來很容易太老氣，現在回看不像十幾歲人寫

的東西，所以我後來也不大寫舊體詩了。二十多年以後住嘉

陵江邊纔又寫一首「柏溪夏晚歸棹」：

　飈風天際來，

　　綠壓羣峯暝。

　雲罅漏夕暉，

　　光寫一川冷。

　悠悠白鷺飛，

　　淡淡孤霞迥。

　繼續月華生，

　　萬象溶清影。

民國七八年，我開始寫哲學文字，然而濃厚的興趣還沒

在文學。德國浪漫派的文學深入我的心坎。歌德的小詩我很歡喜。康白情郭沫若的創作引起我對新體詩的注意。但我那時僅試寫過一首「問祖國」。

民國九年我到德國去求學，廣大世界的接觸和多方面人生的體驗，使我的精神非常興奮，從靜默的沉思，轉到生活的飛躍，三個星期中間，足跡踏遍巴黎的文化區域。羅丹的生動的人生造象是我這時最崇拜的詩。

這時我了解近代人生的悲壯劇，都會的韻律，力的姿式。對於近代各問題，我都感到興趣，我不那樣悲觀，我期待着一個更有力的更光明的人類到來。然而萊茵河上的故壘寒流，殘燈古夢，仍然縈繫在心坎深處，使我常時做做古典的浪漫的美夢。前年我有一首詩，是追撫着那時的情懷，一個近代人的矛盾心情：

生命之窗的內外

白天，打開了生命的窗，

綠楊絲絲拂着窗檻。

一層層的屋脊，一行行的煙囪，

成千成萬的窗戶，成堆成夥的人生。

活動、創造、憧憬、享受。

是電影、是圖畫、是速度、是轉變？

生活的節奏，機器的節奏，

推動着社會的車輪，宇宙的旋律。

—— 68 ——

白雲在青空飄蕩，
人群在都會匆忙！

黑夜，閉上了生命的窗，
窗裏的紅燈
掩映着綽約的心影：
雅典的廟宇，萊因的殘堡，
山中的冷月，海上的孤棹。
是詩意、是夢境、是凄涼、是回想？
縷縷的情絲，織就生命的憧憬，
大地在窗外睡眠！
窗內的人心，
遙領着世界深祕的回音。

在都市的危樓上俯瞰風馳電掣的匆忙的人群，通力合作地推動人羣的前進；生命的悲壯令人驚心動魄，渺渺的微軀只是洪濤的一漚，然而內心的孤迥，也希望能燭照未來的微茫，聽到永恆的深秘節奏，靜寂的神明體會宇宙靜寂的和聲。

民國十年的冬天，在一位景慕東方文明的教授的家裏，過了一個羅曼蒂克的夜晚；舞闌人散，踏着雪裏的藍光走回的時候，因着某一種柔情的縈繞，我開始了寫詩的衝動，從那時以後，橫亘約摸一年的時光，我常常被一種創造的情調

—— 69 ——

佔有着。黃昏的徼步，星夜的默坐，大庭廣衆中的孤寂，常時彷彿聽見耳邊有一些無名的音調，把捉不住而呼之欲出。往往是夜裏躺在床上息了燈，大都會千萬人聲歸於休息的時候，一顆戰慄不寐的心與奮着，靜寂中感覺到窗外橫躺着的大城在喘息，在一種停勻的節奏中喘息，彷彿一座平波微動的大海，一輪冷月俯臨運動極而靜的世界，不禁有許多遙遠的思想來襲我的心，似惆悵，又似喜悅，似覺悟，又似恍惚。無限悽涼之感裏，夾着無限熱愛之感。似乎這微渺的心和那遙遠的自然，和那茫茫的廣大的人類，打通了一道地下的深沉的神祕的暗道，在絕對的靜寂裏獲得自然人生最親密的接觸。我的流雲小詩，多半是在這樣的心情中寫出的。往往在半夜的黑影裏爬起來，扶着床欄尋找火柴，在燭光搖晃中寫下那些現在人不感興趣而我自己却借以慰藉寂寞的詩句。「夜」與「晨」兩詩曾記下這黑夜不眠而詩興勃勃的情景。

然而我並不完全是「夜」的愛好者，朝霞滿窗時，我也贊頌紅日的初生，我愛光，我愛海，我愛人間的溫愛，我愛羣衆裏千萬心靈一致緊張而有力的熱情。我不是詩人，我却主張詩人是人類底光和愛和熱的鼓吹者。高爾基說過：『詩不是屬於現實部分的事實，而是屬於那比現實更高部分的事實』。歌德也說：『應該拿現實提舉到和詩一般地高』，這也是我對於詩和現實的見解。

—— 70 ——

創作詩叢之一

流雲小詩

版權所有　不准翻印

著　　者　　宗　　白　　華

發 行 人　　陳　　汝　　言

總發行所　　正　風　出　版　社
　　　　　　上海河南路三二八號
　　　　　　南京東海路 十 二 號
　　　　　　重慶沙坪壩六十八號

分發行所　　各 地 聯 營 書 店

　　　　　　利 羣 書 報 發 行 所
　　　　　　上海河南路三二八號

經 售 處　　全 國 各 大 書 店

基本定價二元五角。外埠酌加郵運費

中華民國三十六年十一月初版發行

(P.80.)滬0001-1000　　正(No.18)

花木蘭文化出版社聲明啟事

　　此次《民國文學珍稀文獻集成》出版，有賴各位作者家屬大力支持，慨然允贈版權，遂使這巨大的文化工程得以開展。我社全體同仁在此向各位致以誠摯的謝意！

　　由於民國作者人數眾多，年代久遠且戰火頻繁，我社傾全力尋找，遍訪各地，能夠找到的後人，得其親筆授權者，為數甚寡。因此，我社鄭重聲明：

　　此叢書所錄專著，凡有在版權期內而未授權者，作者家屬可與我社聯繫，我社願奉送相關贈書 50 冊為報酬，補簽授權協議。

　　叢書第一輯，宗白華、張篷舟兩位作者，其大作尚在版權期，但無法聯繫其後人，望家屬看到此通知後與我社聯繫。

　　聯繫信箱：hml@vip.163.com

花木蘭文化出版社

2016 年春

波瀾

張篷舟　著

張篷舟（1904-1991）原名張映璧，生於四川成都。

一九二三年自印，署名張蓬洲。原書三十六開。

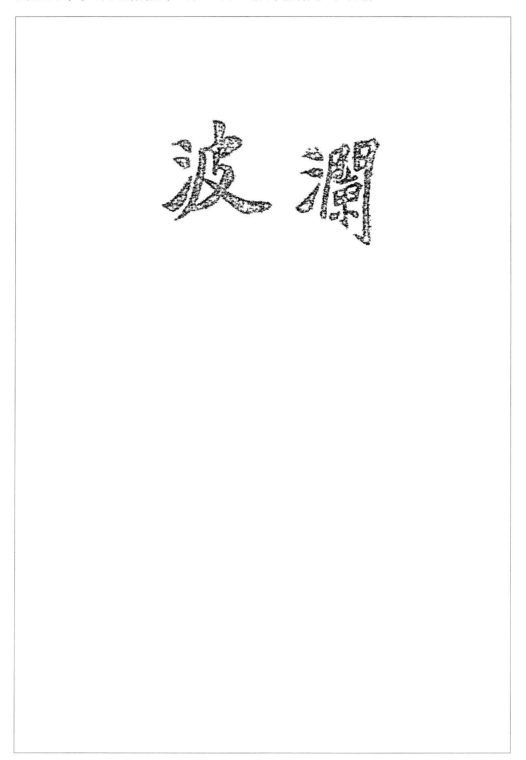

著者最近小影

劉　序

我的朋友張蓬洲君，他是我幾年的好友了；他和我第一次的見面，便是在研究詩歌而相熟識的！現在他的『詩』已是有狠偉大的進步了！聽他說他要把他的『詩』集攏來印成集子，定名波瀾；這便是我眼見他已成功！倒覺得我不能不出來說幾句話的；

蓬洲君是青年作家，所以他的作品中，常常含有活潑潑的生趣！然而他也是悲觀派的人，就不免代著幾分煩悶的色彩，但是他每首詩的背景的暗示，是非常有價值的！他每見社會的不平事，一經印入他的腦筋裏，他便憑著靈敏的天才！會去發現一種相當的繫託物來做成他主張的詩，他常對我說：『做詩的暗示，要攻擊一種不良事業，才是有價值的！但是僅可以不必把不良事業直述出來，免得人們看過後，不會發生甚麼題外的感想，那便莫有研究的餘地了；

代序・2

因為要攻擊一種不良事業，不僅是詩，這種文藝才可以間接攻擊的，其他的文藝，也是可以直接攻擊的，所以既要做一種間接攻擊不良事業的詩，那麼就非尋一種相當的襯託物來描寫，使人們見了這種描寫的襯託物的詩，便會連想到不良的事業，豈不是較有研究的興趣嗎？並且詩的意義與藝術，已經又包含在內了！總括起來說：一要對於不良事業，有種痛快的攻擊；二要範圍於詩之意義與藝術內；所以有人說：『做詩貴在言外尋意，』這句話確是對的！』這些話是在民國九年的時候對我說的，也就可見他那時對於新詩的主張了。

他說的話，並不是空談！我記得有一次他和我在閱報室看報，上面有一段本埠新聞說：

『某街某姓的妻子，素相和睦，日前忽同某私逃，席捲所有，竟置前夫幼子於不顧⋯⋯⋯⋯

劉序 3

他看過後，便對我說：「現在這種事多了！這些未受教育的婦女，多半都被獸慾性所包圍！而常常做出這些不道德的事來：」談了好一會！我們兩都倦了！便約着到草堂去消遣，一出南門，便樣着小路走着，那時已是秋末的天氣，枯老的樹枝！再也不能與鮮艷的嬌花同在，嫩弱的葉兒！也不能盡一點扶持的職務，弄得一路上都有落花的踪跡！突然呵噹的鈴聲！在我們後面振動，我們知道是馬來了，趕緊讓開！果然是十幾匹駿馬跑過去了，可憐的落花！竟踏得如泥土一樣；我們到草堂的茶社內坐着，他便抽出鉛筆抹莫了好一會！當時我倒未注意，過一向四川國民新聞第七號增刊出版，我拿了一份來看：上面已經登出他的大作「落花詩」來了，我讀過後，據正面看來，確是寫的當日的寶景，但是在反面觀察，已經暗示出對於不道德

錮序 五

的婦女進了一種忠告了，因此我就知道蓬溪君的天才與藝術，都是非常豐富的了。

他去年到上海南京去游歷回來，他做的詩，已經裴然成帙了！其中好的很多，近於堆砌的亦有幾首，但是我想詩本是一時興發而做的，決不是因為要想做得多而做的，所以他雖是有幾首近於堆砌！但是至少已經含有他當時的興趣，也不能求全責備了。

我除這幾句話而外也不多說了！廣漠的讀者社會，都是具有眼光的，就讓嚴正的批評家出來替他說話罷。

劉代西·一九三三·三·十·成都·

斷片的卷頭話

張蓬洲

波瀾是我民國十一年旅行的詩集，因為這年旅行多半都是水程，沿途經見的景緻，也多半是波瀾，故假借這兩個字來定名；

我的朋友劉君，替我做的序子，我承認不是一味恭維我的！——有點批評的色彩！——故發表出來，就中說我「近於堆砌的亦有幾首，」這毛病我自己也很覺得，其原因還是因為我的人才與藝術的缺乏！確實是我非常抱歉的；

這本冊子內的詩，通通都在成都和重慶報紙上發表過的，我的用意，是想發表過後，引出讀者方面來指導和更正！誰曉僅僅在重慶的新蜀報打過兩場筆墨官司，以後就歸沉寂了！其他的報紙，簡直是「照登不候」！這更是我掃興的事！

這本冊子，去年回川就想付印的，

斷片的卷頭話 2

因爲經濟上受打擊！故這次到上海來纔
付印，內容太少得很了！但是我爲保存
我個大成績起見，也只好不因爲少就器
了工作的！

我印這本冊子，有兩個最大的用意
便是

A. 便於批評；
B. 印成冊子，比較報紙零零碎碎的
好保存些；

一九三三·八·十二·午後六鐘·
蓬洲寫於杭州西子湖畔·

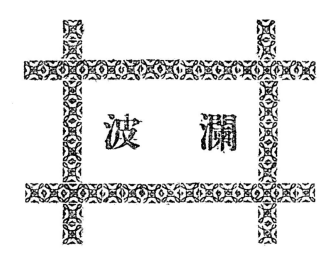

波　瀾

張蓬洲著

一九二三年出版

波瀾集目次

波　瀾

（旅行蔣草）

張蓬洲著

登凌雲山

巍峨而高峻的青山！
密嵌着一級級的石磴，
兩邊織滿了秀麗頎長的野草，
飽消受朝露的滋潤；
那偉大而蔭雜的樹枝，
遮遍了去來的路徑，
似這樣清潔之途！
我應當一步步的上進，

┄┄┄┄┄┄┄┄┄┄┄┄┄┄┄┄┄┄┄┄

呵呀！我的脚疼了，
我的氣喘了！
但我並不因脚疼，氣喘，

波瀾 2

就敗了我的清興！
這是登高應受的艱辛，
還須振作我的精神，
欲達到絕頂之峯，
務必要努力上進；

…………………………………………

那不是崎嶇小道嗎？
危險的懸崖嗎？
都被我慢慢的踏過了；
我站在山之巔，
另有一種環境將我圍繞；

…………………………………………

滴滴的山泉，
是絕妙樂歌！
淡淡的白雲，
是精緻的慢幕！
我聽了這樣的樂歌！
披著這樣的慢幕．

波瀾 3

把我的脚疼／氣喘，
一並都已忘卻；
只覺得這上層的風光／
充滿了無限的快樂！
好似我的靈魂／
已跟他們携了手的跳着／舞着，
山下的人們呵！
可羨慕我不？
我狠希望你們也努力的來喲．

　　　　　十一·五·二七·嘉定；

◇ 槳

一葉似的船兒／
行在玻璃般的江口；
狠薄弱的五枝木槳！
都被動於強有力的水手／
．．．．．．．．．．．．．．．．．．．．．．．．．．．．．．．

波瀾 4

槳兒忽忽的蕩著碧波ノ
好似飛舞的蜻蜓・
那強有力的水手！
還要致他『使勁』・
『槳呵！試問你薄弱的身軀
怎能夠運那萬餘斤的船兒飛奔？
嘿！你聽那濤聲ノ
替你大聲唱著不平鳴！：

　　　　　　十一・三・三十：江口：

巫峽舟次

一陣陣的微風！
一點點的輕波！
吹到幾度鐘聲ノ
渡來幾度漁歌・
　　・・・・・・・・・・・・・・・

祇是神秘！

波瀾 5

漁歌是很凄切！
鐘聲起在山之巔，
漁歌發自水之泊，
使我聽了這神秘和凄切的音浪，
真受一最大的刺擊！
引起無限的恐佈，無限的愁煩，
忘却一切的歡樂，一切的喜悅，
「愁苦之神」呀！
我心悸了！
我膽寒了！
我再也不能消受了！
請你快快與我斷絕，

　　　　　　十二·四·二十·巫山；

黃昏
(夔門晚眺)

紅日緊緊的吻了遠山，
白雲慢慢的摟着新月，

波瀾 6

我最羨慕你們這種戀愛！
真正是高尚，純潔，
日之神呵！
你可不要再起來了，
好讓遠山與你長長的親熱；
月之神呵！
你也不要再下去了
免敎白雲又與你漸漸的離別；
嘿！你們爲何不聽我的要求？
卻只一天天的循環不歇；

　　　　　　十一‧四‧卄九‧夔府：

雜詩

過沙市

一縷縷的日光，
穿過一層層的衫樹。

波瀾·7

我實佩服了創造之神了
能彫刻出這樣的美術。
　　　　十一、四、二十、沙市。

過吳淞口海濱

水天的交點，
呈現出灰色的一線，
是天嗎？
不見一些雲光，
是水嗎？
不見一些波瀾，
這可想見自然的無窮！
反是人們的眼光有限。
　　　　十一、四、二七、吳淞。

黃浦旭升

波瀾 8

黃澄澄的日光！
反映着黃澄澄的浪花；
這便是自然麼？
卻泛出了一種「金之色彩」！
嚇！自然呵！
你爲何也受了「資產化」？
　　　　　　　十一・五・八・上海

火車中的雜詩
（滬寧道上）

在北車站

嗚然一聲！
火車慢慢的開動了，
我的朋友揮着帽／揚着巾／
滿臉堆着難捨的容貌！
朋友呵！
我用甚麼來安慰你？

我竟想不出一個法子！
我們倆的距離已遙！
這叫「生離」麼？
也不覺怎樣的煩惱！
但是我一顆情感充足的心，
全被你揮着∕揚着∕給我弄咩了：

眞茹道上

繁華的上海呵！
我不及給你辭行，
萬分對不住你！
但你的使那高大的洋房，
深黑的煙突，
宏麗的鐵橋，
偉大的樹木，
排列得整整齊齊！

波瀾 10

——都在我面前跑着：
是歡送我嗎？
我真不配！
不是嗎？
為甚麼洋房張着笑靨，
煙突發着異聲，
鐵橋舖着天花，
樹木施着跳舞，
這是甚麼意思？
是歡送我嗎？
不是嗎？
我真猜不着：

蘇州道上

一張小小的玻窗，
映出來無限的畫幅！
碧澄之水，

蔚藍之天，
菁蔥之林，
韶秀之田，
一幅幅真的風景，
都在這鏡中擁現：
更還有蘇州城外的寒山，
也見他一些零星的斷片；
小小的玻窗呵！
你真是自然美術的寶盒，
不想你尚能表現天地之大觀：

　　　　　十一·十·三十夜：南京：

莫愁湖畔

有序

　　十一年十月三十一號，是我到南
京的第三天了，我久知道南京的名
勝是狠多的！奈乎我的時間狠怱促
！不能作遨遊；我只在今天吃過早

波瀾 12

飯・乘了一部黃包車到雨花台去逛了半
天・然後再到莫愁湖來・夕陽快要下了
！車夫狠吃力的飛跑！但是我也頑皮得
夠了

在路上

我遊過了雨花台・
又來遊莫愁湖　
斜陽黃裏／
一部包車如飛的跑着！
隆隆的車聲／
把我無限的詩興引誘出！

莫愁湖畔

莫愁湖呵・
我初次會着你／
我竟把你認着我常見的草堂・

波瀾 13

祇你給了我一個膝密的辨別！
便是你湖中菁菁的波光，
湖畔淡淡的山光，
絲絲的柳線，
佈滿了湖之四圍，
朵朵的枯荷，
插遍了湖之中央，
【是草堂嗎？】我心裏尙是這樣的想
我眼中的景物，
已不是這樣，
全不是這樣，

二

瀁瀁的細浪，
皺出了無限的愁紋，
是暗現代的人生，
只有憂鬱和煩悶，

波瀾 14

三

莫愁！莫愁！
你滿湖盛着聖潔的水，
只能洗滌繁華的氣象！
那能洗滌我胸中的眞愁？

四

柳絲織倦了！
垂下來了！
小鳥歌懶了！
飛過去了！
詩之點綴者呵！
你們既倦了！懶了
也應該休息了！
一十·十·三·南京·(完)

落花集目次

落花

張蓬淵

小　序

　　自從有人提倡「打破舊詩」「創設新詩」以後，附和的人，猶如風起浪湧一般！在試辦的期內，居然成功的好的創作，就已不少！專集既有幾種，散見於報紙和雜誌上的，更是擁擠十分！大家為甚麼這樣努力呢？是好育從新奇嗎？決定不是；因為大家都受着「舊詩」形式上的拘束：凡是一字一句，都要墨守死人的陳法，不能夠將真正的精神暢所欲言的寫出來；譬如一個犯罪的人，項上帶着鎖，肩上披着枷，脚下拖着鍊，

本序 2

鎮日在牢獄裏坐著，他的生活，必是寂寞和枯澀了！一朝遇著赦免，他無有不高興而立時跳出獄門的；—— 所以大家聽了解放的福音，都競爭著來做現代的詩人；於是中國黑冥的詩壇裏，就發出一縷縷的晨光！詩人都從睡鄉裏起來了，一吸得新鮮的空氣，大家就努力的運動！所以成績有那樣的好，對於新詩的前途，不能不抱樂觀了；我個人於「舊詩」雖未下過十分深玄的研究，但受他的流毒，却也不淺！幸得如今有了改造的機會，我便立刻由「舊詩軍」裏投降過來，充一個「新詩軍」的「衝鋒隊」的兵，出馬的一首新詩，就是落花，（揭載〇川國〇新聞〇〇號增刊）算是我戰

小序 昌

勝的紀念品，所以我就把他拿來做我這
本集子的名字，表示我成功成績罷了。
十一，十一，二，夜九鐘，
蓬洲寫於鳳陽丸上：
船在揚子江中。

落　花

張蓬洲著

落　花

落花啊落花啊
你怎不同「枯萎的枝」「嬌弱的葉」在
一塊兒消瀟？
你為甚麼要離開他？
偏偏又鋪滿了長堤了啊
你莫非經不慣風吹雨打啊
自甘把香軀作個犧牲罷？

呀！突來了一羣健兒
一個個要春郊試馬
他們多是些強權的結晶呀！
可憐喲！只把你當著泥一般的踏！

落花 2

倒被那「枯萎的枝」「嬌弱的葉」
笑你犧牲得無代價；

　　　　　　　十・十・二四・成都：

雄　雞

呀！天亮了・
雄雞不住喔喔的鳴；
你恰似一個鬧晨鐘・
一等到天牛明、
便放出你宏大的聲音！
把那些爭名爭利的人・
一個個的都從夢中驚醒！
引起他們在萬惡的世界裏、
仇殺・競爭・奮鬪・犧牲・
嘿！你可不是個製造惡魔的器皿！
擾亂和平的罪人；

　　　　　　　十一・十・三・成都：

落花 3

春的感想

一片緋紅晨曦的光！
端射在玻璃窗上，
微風慢慢的揭開窗紗，
現出了一種『另外』的景象！

....

觸現眼簾，
樹枝兒抽新條
鼓動耳際，
蟬子兒發聲浪，
就是那消瘦的垂楊！
如今也十分開放，
廻溯到那霜雪的嚴寒！
不是這般模樣，

....

樹枝兒正蕭條，

落花 4

蟲聲兒狠稀少，
就是那新出土的萌芽！
也被那無情的霜雪壓倒；
如今是一樣的光陰，
怎的會變成景緻多少？
嘿！這是否天演的比例？
或者是人力的改造？

十一・四・六・川南

（完）

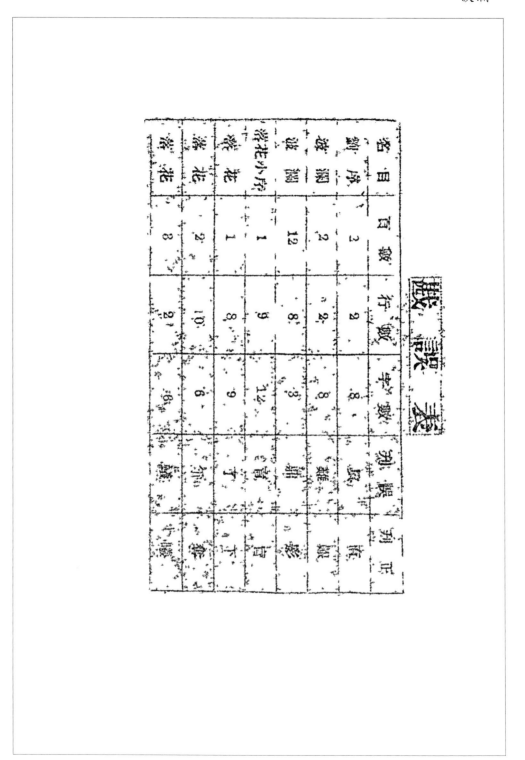

消失了的情緒

張篷舟　著

上海文華美術圖書印刷公司出版一九三三年出版。原書三十二開。

序　說

青年眞如車輪之推動呵！生命之活躍，
雖隨環境而變遷，情緒之流露，却因時代而
起波；

我在數年前猶自謳歌乎自然與孤寂者，
今乃轉而爲革命之戰歌與狂熱之戀曲矣。回
首前塵，有如死生；

此冊幾首小詩，已是消失了的情緒，絕
非誌我理想之海的斷片之波而已。

張蓬舟序於大江之濱。

消失了的情緒

登凌雲山

巍峨而高峻的青山，
密嵌著一級級的石磴，
兩邊織滿了茂盛頎長的野草，
飽涵受朝露的滋潤，
那偉大而複雜的樹枝，
陰蔽了去來的路徑，
似這樣清潔之途，
我應當一步步的上進；
……

阿喲！我的腳疼了，
我的氣喘了，
但我雖不因腳疼，氣喘，
就敗了我的清興，
這是登高應受的艱辛，
還須振作我的情神，
欲達到絕頂之峯，
珍必要努力上進，
……

那不是崎嶇的小道嗎？
危險的懸崖嗎？

都秩我慢慢的踏過了，
我站在山之巔，
另有一種環境將我圍繞！

……………………

滴流的山泉，
是絕妙的樂獸。
淡淡的白雲，
是褥緻的幃幕；
籠着這樣的樂獸，
籠着這樣的幃幕，
把我的脚疼，氣喘，
、並都已忘却。
祗覺得這上層的風光，
充満了無限的快樂！
好似我的靈魂，
已跟牠們攜了手的跳着，舞着。
山下的人們呵！
可羨慕也不？
我希望你們也努力的來喲！

　　　　在嘉定：

2

槳

一槳似的船兒,
行在玻璃般的江門,
很微弱的幾隻木槳,
都被動於強有力的水手。
⋯⋯⋯⋯⋯⋯⋯⋯

槳兒忽忽的邁着碧波,
已似飛舞的蜻蜓。
那強有力的水手;
還要叫牠拚命!

槳呵!試問你薇弱的身軀,
怎能夠運那萬餘斤的船兒飛奔?
呵!你聽那濤聲,
替你大聲唱着不平嗎!

在江口。

巫峽舟次

一陣陣的微風，
一點點的輕波，
吹到幾度鐘聲，
渡來幾度漁歌。

鐘聲是很神祕，
漁歌是很淒切。
鐘聲起在山之巔，
漁歌發自水之泊。

使我聽了這神祕和淒切的音浪，
真受了最大的刺擊！
引起了無限的恐怖和煩惱，
忘却了一切的歡樂和喜悅。

慾苦之神呵！
我心悸了！
我膽寒了！
我再也不能消受了！
請你快快與我隔絕！

在巫峽：

4

黃　昏

紅日緊緊的吻了遠山，
白雲慢慢的捱着新月，
我羡慕你們這種戀愛，
真是高尚，純潔。

日之神呵！
你可不要再起來了，
好讓遠山與你長長的親熱；
月之神呵！
你也不要再去下了，
免敎白雲又與你漸漸的離別；
噓！你們爲何不聽我的要求？
却祇是一天天的循環不歇……

在廈門……

過沙市

一縷縷的日光，
穿過一層層的杉樹，
我真佩服創造之神，
能雕刻出這樣的美術，
　　　在沙市⋯⋯

6

贈別友人

嗚，嗚：的幾聲，
火車慢慢的開動了，
我的朋友揚着巾，揮着帽，
透着難捨的容貌；
朋友呵！
我用甚麼來安慰你？
我正想不出一個法子，
我們倆的距離已遙，
這叫「生離」麼？
也不覺怎樣的煩惱，
可是我一顆情感充實的心，
全被你揚着，揮着？弄碎了！

在北站：

蘇州道上

一張小小的玻窗，
映出活畫的無限！

碧澄之水，
蔚藍之天，
薈蔚之林，
韶芳之田，

一幅幅真的風景：
都在這窗中出現。

更還有蘇州城外的寒山，
也見牠一些零星的斷片。

小小的玻窗呵！
不想你尚能表現天地之大觀！

　　　　　　在蘇州；

莫愁湖（五首）

一

我遊過雨花臺，
又來遊莫愁湖。
斜陽影裏，
一部包車如飛的跑著，
隆隆的車聲，
把我無聲的詩情都引誘出！

9

二

莫愁湖呵！
我初次會着你，
我竟把你認着我常會的草堂，
但你給我一個辨別，
便是游睡淡淡的山光。

湖中青青的波光，
絲絲的柳線，佈滿了湖之四圍。
朵朵的枯荷，插遍了湖之中央。
一是草堂嗎？我心尚是這樣的想。
我眼中景物已不是這樣，
全不是這樣。

10

— 16 —

二、

濛濛的細浪，
激出了無限的悲哀，
是暗示着現代的人生：
只有憂鬱和煩悶！

11

四

莫愁，莫愁！
你滿湖盛着聖潔的水，
祇能洗滌繁華的氣象，
那能洗滌我胸中的真愁！

12

五

棚綠鵜倦了，
垂下來了。
小鳥歌倦了，
飛過去了。
詩之點綴者阿！
你們既倦了，倦了。
自然是可以休息了，
在南京：

落花

落花，落花！
你怎不同枯萎的枝、嬌柔的葉、在一塊兒造淪？
為甚麼要離開牠？
偏偏又鋪滿了長堤下，
你莫非絕不懼風吹雨打？
白甘把香軀，作個犧牲罷？
………………………
呀！突來了一羣健兒，
一個個在作郊試馬；
可憐呵！把你當作泥一般的路！
倒給那枯萎的枝、嬌柔的葉，笑你犧牲得無代價，

在郊外……

14

孤寂之歌（四首）

一

廣漠的人群！
廣漠的社會！
廣漠的宇宙！
廣漠的天地！
這耀眼的繁華，便是繁華麼？
陪宿起來，
也不過是孤寂。

二

最可恨的恩愛的假說。

形式的組織。

都是些名義的結合。

甚麼叫親戚？

甚麼叫朋友？

甚麼叫夫妻？

甚麼叫伯叔？

甚麼叫兄弟？

甚麼叫父母？

一顆真的情心，

活活的將牠裁起；

都在做假應酬，

都戴上假面具。

這些名義的結合，

形式的組織，

都不算是真的，

甚麼纔是真的呢？

歸宿起來，

也不過是孤寂。

酬答的虛偽。

16

三

好花開過了，
當其在那開得正茂盛的時候，
覺得繁華是多麼醉心的！
琴音歇着了，
當其在那彈得正悠揚的時候，
覺得繁華是多麼醉心的！
但是現在好花開過了，
琴音歇着了；
縱閒想到花開得正茂盛，琴彈得正悠揚的時候，
也不過是一刹那的繁華，
不經久的醉心，
歸宿起來，
也不過是孤寂。

17

四

孤寂是甚麼？

孤寂便是我．

尤其是良心中的真我．

也不是甚麼人羣，社會，宇宙，天地，父母，兄弟，伯叔，夫妻，朋友，親戚．

孤寂的我，

恰好似長久開不謝的好花．

長久彈不輟的琴音．

　　　　　在旅邸：

18

秋 天

飄颻的秋風，
淅瀝的秋雨，
點綴出殷寒的秋意！
　　在旅邸：

19

情之熱

情人身上一根極微弱的血脈，

我當戀着是一根極細純的情絲；

譬如這多敏情絲織成了一個情網，

那我可不肯自己的心有沒有飛蛾那般的勇敢？

也一定要投到牠網裏去的！

在旅邸：

20

妍的影子

當妍曳裙上橋時，
橋下妍的影子已拖長有五六尺，
設想妍那高不可仰的樣子，
影子已代表得十足了！

在湖上：

21

畫舫中（三首）

細細的湖上之波，
輕輕的槳兒漿着，
淺淺的拖出一泓水痕，
深深的漾出一個笑渦。

二

捉摸不定的心旌，
趁着湖風的微漾去了……

23

三

點滴的雨，浪漫的風，
吹涼到我的小船中。
風寒侵我衣，
雨冷濕我胸，
我本絲坐着是不知道嗎？
不！因為我的心早飛在澌濱高樹的一葉中。

在西湖：

24

雷峯夕照

雷峯塔，
在遺蹟氣蒼茫中，
殘陽如飛的掠過牠的塔頂，
牠仍孤高傲岸的聳立着：
在南屏：

25

一欄之隔

關內綠茵的草坪，
獨站著孤寂的我，
在這曉色四闃中，
我自寂孤的望著；

關外殷紅的晨曦，
燦爛的流霞，
倦餒的微波，
初起的睡山，
這是多麼美麗而光明的表現，
呵！是呵！
還到那裏去尋自然與人間，
明明相隔祇有這一欄杆，
在湖濱……

26

潮　音

大波拍着大石，
澎湃澎湃的響了；
心弦和着潮音，
一聲聲緊張的彈起來了！

在岩陛：

27

花落小吟

鮮艷時你雖飾着盛妝，

枯萎時你却委於破碎了呵！

在故鄉：

28

小詩

廣曠的田野，
處處都有農夫們的鋤痕；
平曠的心野，
便是詩人們急待開墾的荒土呵，
在故鄉！

29

（消失了的情緒終）

30

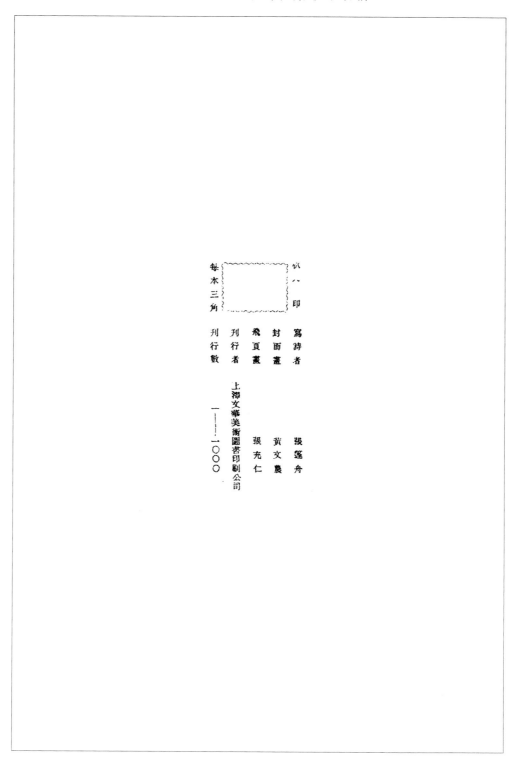

寫詩者　　張蓬舟

封面畫　　黃文農

飛頁畫　　張充仁

刊行者　　上海文華美術圖書印刷公司

刊行數　　一——一〇〇〇

每本三角

認八印

寫八印

花木蘭文化出版社聲明啓事

　　此次《民國文學珍稀文獻集成》出版，有賴各位作者家屬大力支持，慨然允贈版權，遂使這巨大的文化工程得以開展。我社全體同仁在此向各位致以誠摯的謝意！

　　由於民國作者人數眾多，年代久遠且戰火頻繁，我社傾全力尋找，遍訪各地，能夠找到的後人，得其親筆授權者，爲數甚寡。因此，我社鄭重聲明：

　　此叢書所錄專著，凡有在版權期內而未授權者，作者家屬可與我社聯繫，我社願奉送相關贈書 50 冊爲報酬，補簽授權協議。

　　叢書第一輯，宗白華、張蓬舟兩位作者，其大作尚在版權期，但無法聯繫其後人，望家屬看到此通知後與我社聯繫。

　　聯繫信箱：hml@vip.163.com

花木蘭文化出版社

2016 年春